10 ASTUCES DE PARENTS

Emmanuelle Lepetit

pour rester zen pendant la crise d'ado

FLEURUS

Cet ouvrage a été réalisé à partir d'ateliers de parents animés par Sylvie von Lowis, membre du Mouvement mondial des mères France.

Le MMMFrance anime des groupes de parole interculturels dans des associations et dans des villes pour permettre aux mères d'échanger leur savoir-faire sur l'éducation des enfants.
Site : www.mmmfrance.org

Nous remercions pour leur participation :
Patrick, père de Laura (15 ans)
Clarisse, mère de Paula (18 ans) et Arnaud (16 ans)
Julie, mère de Chloé (16 ans)
Colette, mère de Cyrille (14 ans), Aude (13 ans) et Nicolas (11 ans)
Gaëlle, mère de Gaëtan (16 ans) et Bruno (14 ans)
Estelle, mère de Valéry (17 ans) et Faustine (15 ans)
Christine, mère de Jérôme (15 ans)
Daphné, mère d'Alizée (15 ans) et Justine (13 ans)
Sylvie, mère de Jérémy (24 ans), Cathy et Ella (16 ans)
Diane, mère de Fred (18 ans) et Arthur (14 ans)
Laurence, mère de Gabrielle (18 ans) et Charlotte (16 ans)
Frédérique, mère d'Alexandra (13 ans)
Aurélie, mère de Joe (20 ans), Thibaud (16 ans) et Ophélie (15 ans)
Delphine, mère de Pauline (18 ans), Raphaëlle (16 ans) et Sarah (14 ans)
Caroline, mère de Jean (17 ans) et Aline (15 ans)
Anna, mère d'Axel (16 ans) et Raoul (11 ans)
Dorothée, mère de Stella (18 ans) et Hector (15 ans)

Direction de collection : Isabelle de Rambuteau
Direction d'ouvrage : Emmanuelle Rémond

Photo de couverture : © Photodisc/Getty Images

ISBN : 978-2-2150-4730-8

SOMMAIRE

INTRODUCTION

Il fut un temps, pas si lointain, où votre enfant se levait du bon pied, le matin, et partait à l'école le cœur léger, cartable sur le dos. Il fut un temps où il jouait dans sa chambre, porte grande ouverte, et se précipitait à table lorsque vous l'appeliez. Il fut un temps où il rangeait sa chambre dès que vous le lui demandiez (malgré quelques protestations inévitables), s'endormait après le baiser du soir, vous racontait ses découvertes et vous posait mille questions. Un temps où, le samedi soir, il insistait pour rester un peu plus longtemps avec vous… À tel point que, parfois, vous auriez aimé qu'il vous *« laisse en paix »* et rêviez de vacances *« sans les enfants »* !

Et puis, un jour comme les autres, la porte de sa chambre s'est refermée. Ses questions se sont taries. Son humeur s'est assombrie. À présent, c'est lui qui vous demande de lui *« ficher la paix »* et qui rêve de vacances *« sans les vieux »*.

Eh oui, votre enfant a besoin d'indépendance ! Il a déjà un pied en dehors de la maison… La « crise » de votre adolescent en est aussi une pour vous : il va falloir vous adapter car vous ne pouvez plus fonctionner avec lui comme avant !

« Désordre », « cris », « claquements de portes », « insultes », « look étrange », « sorties tardives », « cuite », « drogue », « oisiveté », « Internet », « fréquentations », « silence »… Tels sont les mots qui viennent spontanément à l'esprit de tous les parents confrontés à l'adolescence de leurs enfants.

Ces mots simples se rattachent à des situations concrètes qui déclenchent des conflits ou plombent le quotidien. Souvent désemparés, les parents cherchent conseil dans des livres, des magazines, auprès de psychologues… On leur répond par d'autres mots, plus respectables, mais aussi, plus abstraits : identité, interrogation, recherche des limites, désir d'indépendance, solitude, manque de confiance… Et par des exhortations à percevoir ces changements chez leurs adolescents, à les comprendre. Mais au quotidien, quand le conflit se profile, les parents ne savent pas toujours comment réagir.

Évidemment, tous les parents rêvent de pouvoir aider leur enfant à être mieux dans sa peau, plus sûr de lui, plus responsable, plus autonome ! Ils désirent l'encourager à l'« indépendance », le voir trouver son « identité », tout en lui fixant ces fameuses « limites ». Mais, faute de mode d'emploi et de conseils pratiques, ils se retrouvent dans l'incapacité d'appliquer ces beaux et nobles principes à la réalité. C'est pourtant à travers des situations toutes simples du quotidien que se jouent et s'expriment les problématiques adolescentes. C'est à travers elles, au cas par cas, qu'il faut agir, orienter, responsabiliser, limiter... Oui, mais comment ?

Ce petit livre propose, en dix chapitres, de revenir sur dix types de situations quotidiennes que connaissent souvent les parents d'adolescents. Riche en expériences vécues par des parents ayant réussi à résoudre ces problèmes, ou du moins à améliorer les situations, il donne des idées concrètes pour sortir de l'impasse, rétablir la communication, amorcer le dialogue et chercher des solutions. On y retrouve les grands thèmes qui agitent les adolescents – interrogation, recherche d'identité, désir d'autonomie. Les façons d'y répondre ne sont pas aussi larges ou compliquées qu'on le croit mais il faut les adapter à chaque situation ainsi qu'à l'adolescent que l'on a en face de soi. Car, ne l'oublions pas, aucun adolescent ne ressemble à un autre…

Ces solutions pratiques permettront surtout aux parents d'adolescents de dédramatiser cette fameuse « crise », étiquette parfois hâtive collée sur une série de situations qui nécessitent seulement de simples réaménagements de la vie familiale. Elles donnent quelques clés pour comprendre, repérer ce qui ne va pas, et réagir avant que l'adolescence de votre enfant ne rime avec des mots plus sérieux et plus graves tels qu'échec scolaire ou dépression… Elles aideront tout le monde à se détendre, à prendre du recul face aux problèmes et souvent… à en rire !

1 SCÈNES DE MÉNAGE

« Tu rigoles, Chloé : ce n'est pas rangé, c'est juste poussé ! »

Toc toc ! Comme tous les dimanches matin, Colette fait le tour des chambres pour le ménage hebdomadaire. La voici arrivée aux frontières d'un territoire ayant échappé depuis plusieurs mois aux lois de la libre circulation : le royaume de sa fille, Aude, 13 ans.

« Je peux rentrer, ma chérie ? C'est pour le ménage !

– Mouais, vas-y ! »

Encouragée par ce chaleureux laissez-passer, Colette tente d'ouvrir la porte… sans succès : *« Aude, tu peux regarder, il y a quelque chose qui bloque derrière la porte. »*

Après avoir un peu fourragé, le passage est libéré et là… c'est le choc ! Éparpillés et jetés en vrac sur le sol, le bureau, le lit, les étagères, habits froissés, livres ouverts, paperasses et magazines divers côtoient pots de yaourt et paquets de biscuits éventrés, véritables nids à moucherons.

« Tu n'as pas rangé tes affaires ? halète Colette, d'une voix étranglée.

– *Pfff… pas eu le temps. Mais j'vais m'en occuper.*

– *Quand ?*

– *Là, bientôt… »*

Si cette scène vous est familière, vous devinerez sans peine son inévitable dénouement : cris, hurlements, portes claquées… La chambre d'Aude sera finalement rangée, mais à quel prix ? Après quelques mois de guerre, Colette a bien dû avouer son échec : *« J'étais en train de devenir hystérique. Il est très difficile de bien réagir avec un adolescent car, lorsqu'on demande quelque chose, on se retrouve souvent face à un mur. C'est toujours "Plus tard" ou "Un autre jour". On n'a pas de prise. »* Que faire alors : déclarer forfait ? *« Impossible : je ne suis pas maniaque, mais j'ai des limites »*, avoue Colette. D'autant que les forces obscures du désordre ne tardent pas, si on leur laisse la bride sur le cou, à parasiter le reste de la maison : partout où votre adolescent passe, il laisse sa trace, tel un escargot, sous la forme des détritus les plus variés. Quand il ne va pas, tout simplement, *« squatter »* votre salon pour travailler… car, comme il l'avoue lui-même, *« c'est plus agréable que dans [sa] chambre »*.

ÉTAPE N° 1 : RENDRE SON TABLIER

Fatiguée par ces scènes houleuses, mais bien décidée à résoudre le problème, Colette a donc changé de stratégie : *« Plutôt que de me battre, je me suis retirée du jeu. Je lui ai annoncé que, désormais, je ne m'ingérerais plus dans ses affaires. Elle sait où sont l'aspirateur, les torchons, le panier à linge. C'est une grande fille. »* Ouf, quelle libération ! Cette simple décision a changé le regard de Colette du tout au tout : *« Je ne me sens plus concernée. Et à vrai dire, vue de l'extérieur, la situation devient assez cocasse ! »*

Jugez plutôt. Trois semaines plus tard : toc toc ! Cette fois-ci, c'est Aude qui frappe à la porte de sa mère : *« Maman, où elle est, ma robe ?*

– *Quelle robe, ma chérie ?*

– *Tu sais, la noire, ma préférée…*

– *Tiens, c'est étrange, je ne l'ai pas vue au linge sale. »*

Et le lendemain matin, en plein mois de février, quelle ne fut pas la (feinte) surprise de Colette en voyant partir sa fille au collège en robe d'été sous son manteau :

« Mais, Aude, tu n'as rien sur le dos !

– Bah, ouais, mais... j'ai plus rien à m'mettre. Tout est sale.

– Si tu ne mets rien au sale, Aude, rien ne sera lavé. »

Cette stratégie peut sembler dure, mais elle est rapidement payante. Vexée par l'expérience, Aude a ensuite veillé à trier ses affaires sales des propres. Certes, tout n'était pas résolu, mais un progrès avait été fait... sans stress ni disputes. La tactique s'avère également efficace pour éviter l'invasion du désordre dans toute la maison : lorsque Dorothée retrouve un pot de yaourt vide ou autre détritus dans son salon ou sa cuisine, elle n'endosse plus le rôle de la femme de ménage. Elle va les redéposer gentiment et sans éclat dans la chambre de sa fille Stella... qui a fini par comprendre le message.

ÉTAPE N° 2 : PRATIQUER LE DONNANT DONNANT

Une fois que, petit traumatisme aidant, l'adolescent a pris conscience du problème, ne songez surtout pas à revenir en arrière ! Au contraire, il est temps de passer à la vitesse supérieure, pour ne pas vous laisser dépasser. Ainsi, Clarisse avait renoncé à ranger la chambre de son fils Arnaud, 16 ans, et notamment à trier ses caleçons sales qu'il laissait traîner. Mais Arnaud avait très vite trouvé une parade : il venait simplement se servir dans le tiroir de son père ! Ce dernier prit dès lors les choses en main, proposant à son fils un viril contrat : *« Soit tu laves ton linge et tu ranges ta chambre, soit tu dis adieu à la conduite accompagnée et aux clés de la voiture. »* Et Clarisse de poser un panier à linge flambant neuf dans la chambre d'Arnaud, avec une note détaillant le mode d'emploi de la machine à laver. Arnaud retroussa aussitôt ses manches : *« Certes, il a plusieurs fois mélangé les couleurs, et il lui est même arrivé de faire sécher son linge par terre dans sa chambre… mais je me suis gardée d'intervenir. Le plus étonnant, c'est qu'il y a pris goût. »*

À chaque parent de trouver l'argument le plus efficace. En général, point n'est besoin d'aller chercher très loin : *« Si ta chambre n'est pas rangée à 18 heures le samedi soir*, a déclaré Julie à Chloé, 16 ans, *tu es privée de sortie. »* Bien sûr, Chloé a commencé par crier au chantage ! Mais Julie n'a pas cillé. Le premier samedi, vers 17 h 45, Chloé s'est donc dépêchée de fourrer en vitesse ses affaires sous son lit. Julie est venue inspecter le travail. Verdict : *« Tu rigoles, Chloé : ce n'est pas rangé, c'est juste poussé ! »*, et de ressortir immédiatement sans écouter les protestations de sa fille. *« Elle a fini par s'y faire et a rangé correctement sa chambre. Aujourd'hui, elle passe même l'aspirateur sans que je le lui demande. D'après mon expérience, le donnant donnant est la seule solution. Avant, j'avais beau crier, hurler : rien n'y faisait. »*

DÉDRAMATISER

Faut-il donc se transformer en intraitable marchand de tapis pour vivre en harmonie, et dans un environnement agréable, avec son adolescent ? Bien sûr que non, car cette stratégie ne fonctionne que si, auparavant, on a pris une distance par rapport au problème. *« J'ai remarqué que Pauline, malgré le fouillis qu'elle cultive, est très structurée dans sa tête, ce qui me rassure*, explique Delphine. *Raphaëlle, ma cadette, est très ordonnée : sa chambre est en parfait état. À l'intérieur, dans son esprit, c'est plus compliqué… Alors, le désordre, moi, je le tolère ! »*

Cette dédramatisation a permis à Delphine de ne plus regarder le problème du désordre comme un bloc monolithique, s'énervant parfois pour des broutilles, mais de choisir ses priorités. La seule règle à présent, c'est de ne pas mélanger les vêtements et l'alimentaire : le jour où elle a aperçu, sur le bureau de Pauline, les graines du hamster renversées sur un devoir à signer et une chemise de nuit, son sang n'a fait qu'un tour : *« Je te préviens, Pauline, si je revois ça, je jette tout par terre. »* Le lendemain, le désordre était toujours là : *« J'ai mis mon bras, et schlak ! j'ai tout fait tomber ! »* Depuis, Pauline met à la poubelle les déchets alimentaires, tout en continuant à laisser traîner ses vêtements. *« Peu m'importe : ce ne sont pas mes affaires. »*

2 DRÔLE DE LOOK...

« *Tu comptes sortir comme ça ?!* »

C'est un matin de semaine, vous prenez votre petit-déjeuner. Soudain, entre dans la cuisine une créature en slim taille basse et string qui dépasse, ou un énergumène hirsute en treillis militaire. Non, vous avez beau vous pincer, ce n'est pas un cauchemar : sous vos yeux, cette lolita qui se déhanche est bien votre fillette qui, hier encore, arborait fièrement ses jupes à volants ; ce Rambo prépubère votre ex-petit garçon en pantalon de velours.

La surprise passée, viennent l'inquiétude et la désapprobation. N'est-ce pas un peu vulgaire, provocant, agressif ou tout simplement… très laid ? Vous osez une objection… Réponse : « *Toi, t'aimes pas, mais mes copains, ils aiment bien* », ou : « *T'façon, toutes mes copines s'habillent pareil.* »

UN CONSTAT AGAÇANT

Faites donc un petit tour à la sortie des classes pour comprendre l'ampleur du phénomène : en effet, ils s'habillent tous de la même manière ! Ce look que vous trouviez excentrique n'est en réalité qu'un uniforme. Rebelle, votre petit chéri ? Non. Tout bonnement conformiste ! Ce constat a l'art de vous agacer… d'autant qu'il faut bien l'avouer, leur nouveau style ne les met pas toujours en valeur. *« À 13 ans,* raconte Anna, *Axel a adopté le look "skate" : baggy bouffant, T-shirt XXL lui dégoulinant sur les genoux, godillots noirs surcompensés. Sur un gaillard de 1,80 m, cette mode peut encore passer. Mais, avec son 1,50 m, Axel avait l'air d'un pot à tabac. »*

SOULIGNER LEURS CONTRADICTIONS

Pourtant, vous avez quelques moyens d'action. C'est d'abord par la parole que vous pouvez ouvrir les yeux de votre adolescent. Démonstration : lors d'un après-midi de shopping, Colette voit sa fille Aude s'arrêter devant un pull rouge, *« charmant – et pas trop cher ! »*, dans une vitrine. Espoir fou de Colette : sa fille va enfin changer du look noir qu'elle affectionne. Espoir de courte durée : « *Quel pull de nulle !* » conclut Aude en se détournant de la vitrine. Le soir, en allant dire bonsoir à sa fille, Colette revient sur l'incident.

« *Dis-moi, Aude, ce pull, j'ai eu l'impression qu'il te plaisait...*

– *Oui, mais je ne veux pas le mettre au collège parce que ça va faire...*

– *Quoi ?*

– *Les autres vont trouver...*

– *Quoi ?*

– *Que c'est un pull de nulle !* »

Et là, Colette, royale, trouve l'argument qui fait mouche : « *Tu répètes tout le temps que tu es libre, mais c'est faux : tu es esclave du regard des autres.* »

« *Pour les ébranler, il ne faut pas les prendre de front par des critiques ou des arguments rationnels (image sociale, convenances, etc.), mais plutôt par l'affectif, sur leur terrain* », confirme Gaëlle, mère de Bruno, 14 ans. Après avoir répété pendant un an à son fils qui arborait une coiffure hirsute : « *Tu sais, moi, si j'étais une fille, je penserais que ce n'est pas terrible, ce genre de look* », Gaëlle a vu enfin son travail porter ses fruits. « *Un beau jour, il est arrivé peigné et même... gominé !* » Une astuce utile pour leur faire prendre conscience de leur conformisme, mais aussi pour réveiller ces adolescents qui se barricadent derrière un look négligé à effet répulsif.

LES CONFRONTER À LEUR IMAGE...

Le problème de la vulgarité se pose en termes différents. Quand Alizée a réclamé une paire de bottes pour ses 15 ans, Daphné, flairant les ennuis, lui a proposé une virée shopping entre mère et fille. « *Je ne l'ai pas regretté : arrivée dans le premier magasin, Alizée s'est précipitée sur des cuissardes à hauts talons en s'extasiant. Elle les trouvait "hypertendance" !* » Daphné opposa un refus clair et argumenté, promettant de faire toutes les boutiques jusqu'à trouver une autre paire « *hypertendance* ». « *Je crois qu'il ne faut pas avoir peur de poser des limites si on les explique,* dit-elle. *Bien sûr, c'est plus facile à mettre en œuvre dans le cadre d'un rapport complice : j'incite toutes les mères à parler mode et à faire du shopping avec leur fille !* »

Oui, mais voilà : passé un certain âge, l'adolescente préfère faire ses courses avec ses copines. Et même, dès 13 ans, sa cagnotte en poche, il lui est facile, au retour du collège, de passer par le supermarché... et de s'acheter quelques strings pour faire comme les copines ! C'est ainsi que Delphine vit avec effroi sa fille Sarah, 14 ans, se transformer en lolita. « *J'avais beau lui dire que c'était vulgaire, plus j'intervenais, plus elle en rajoutait.* » Jusqu'au jour où, lors d'un dîner familial où Sarah s'offusquait parce qu'un garçon avait fait claquer l'élastique de son string à la récréation, son père prit la parole : « *Mais qu'est-ce que tu crois, Sarah ? Les garçons, quand ils voient des strings, ils pensent au sexe. C'est comme ça. À toi de voir l'image que tu veux renvoyer.* » Le discours paternel fit mouche auprès de l'adolescente, qui devint tout de suite plus pudique. Beaucoup de jeunes filles, influencées par les magazines et en quête de leur féminité, manipulent leur image sans en maîtriser les tenants et les aboutissants. Alors qu'en réalité, elles sont très pudiques ! Montrer à l'adolescente l'image qu'elle renvoie, la confronter à sa pudeur, parler cru sans la dévaloriser l'aide à se trouver. Et souvent, le père est mieux placé que la mère pour mener cette délicate opération…

… ET RELATIVISER !

Autant le savoir cependant : quels que soient vos efforts et même si vous réussissez à éviter quelques débordements, vos adolescents ne changeront pas de look pour vos beaux yeux ! Anna a fini par en prendre son parti. Après réflexion, elle a même changé de regard sur le conformisme d'Axel : « *J'ai trouvé positif qu'il ait à cœur de s'insérer dans un groupe. C'était plus rassurant que de le voir s'isoler.* » Anna a donc laissé son fils s'habiller comme il le souhaitait tout en exprimant un désir personnel : « *Je lui ai demandé de s'habiller différemment à la maison, le week-end, quand ses copains ne sont pas là... pour nous faire plaisir.* »

Et rassurez-vous : les années passent, les modes changent. À 16 ans, et sans que ses parents interviennent, Axel a abandonné son look « *skate* » pour devenir un grand jeune homme plutôt coquet et expert en soins capillaires... Aude, la timide, ose à présent des couleurs voyantes et des tenues parfois excentriques.

Pour vous aider à relativiser, il est bon de réveiller quelques (vieux ?) souvenirs. Tout le monde, au même âge, a jeté sa gourme. Après tout, il vaut mieux que la crise d'ado se limite à porter des baggys déchirés ou à avoir les cheveux rouges !

3 DIALOGUE DE SOURDS

« Ils nous parlent comme à des chiens ! »

« Ce qui me déstabilise le plus avec Faustine et Valéry, c'est la façon dont ils me parlent, avoue Estelle. *Quand ils me demandent quelque chose, ils sont tout mielleux… mais quand c'est moi qui pose une exigence ou qui suis en demande, je ne récolte que des rebuffades. »*

Cette situation, tous les parents en souffrent et la déplorent. Impertinences, grossièretés, borborygmes, intonation dédaigneuse, et parfois même insultes… La frustration est unanime : *« Ils nous parlent comme à des chiens ! »* Difficile de dialoguer sereinement, et parfois même simplement de se comprendre : le vocabulaire utilisé par leurs enfants choque de nombreux parents ou les plonge dans la perplexité, même lors de conversations ordinaires : « *Qu'est-ce que ça voulait dire ?* », « *Était-ce une provocation ?* », « *Comment peut-il se permettre de me parler comme ça ?* ». On ne sait plus sur quel pied danser. Ces grésillements répétés sur la ligne finissent par compromettre toute communication.

LES DÉSARÇONNER

Que faire ? Leur répéter, comme Dorothée ou Julie : « *Ne me parle pas sur ce ton* », « *Un peu de respect* » ? Il est peut-être utile de le dire et de le redire, pour se positionner en tant que parent, mais ces rodomontades restent, il faut bien en convenir, sans effet… et l'impuissance finit par nous faire monter la moutarde au nez. L'altercation est proche.

C'est ainsi qu'un jour, hors d'elle, Colette n'a pu se contrôler et a giflé son fils Cyrille, 14 ans. « *Il mesure 1,80 m. Quand j'ai vu l'expression qui est passée dans ses yeux, je l'ai tout de suite regretté…* » Colette a eu peur : peur d'elle-même, peur de son propre fils. Elle a alors compris que l'affrontement n'était pas une solution. Depuis, elle a mis au point une tout autre tactique : « *Dès qu'il s'énerve, je recule. Je n'élève pas la voix. Au contraire, je la baisse et je lui dis, par exemple, très doucement : "Dis donc, tu dois être vraiment furieux pour en arriver là !"* » À chaque fois, Cyrille est désarçonné : « *Il voulait en découdre, s'attendait à un choc frontal. J'esquive : je prends sa violence, je la lui renvoie. C'est comme un roulé-boulé, au judo !* »

Comme l'a elle-même constaté Gaëlle : « *Plus on parle fort, plus on fait des phrases courtes, de plus en plus courtes, jusqu'à l'insulte. Baisser le ton permet de calmer la situation.* » Cette tactique exige une certaine maîtrise de soi. Mais même lorsque vous vous êtes laissé emporter, il est toujours temps d'apaiser la tempête : « *Un jour, j'avais préparé des mousses au chocolat,* raconte Julie. *Chloé arrive dans la cuisine et m'assène : "Tu m'gaves avec tes mousses !" J'ai vu rouge : pendant deux minutes, nous avons hurlé comme des harpies. Et d'un seul coup, j'ai dit en murmurant : "Chloé, tu vois à quoi cela nous avance de parler comme ça ?", et Chloé a cessé de crier, pour répondre : "À rien, tu as raison."* » Montrer son émotion, sa faiblesse, renvoie l'adolescent à ses propres contradictions. Lui aussi se sent mal, lui aussi s'en veut : il n'est pas un monstre. La pire des scènes peut finir dans un fou rire et des embrassades, comme ce fut le cas ce jour-là pour Chloé et Julie.

COUPER LE DIALOGUE…

Mais nous ne vivons pas dans un conte de fées : parfois, la fureur l'emporte et l'adolescent s'acharne. Colette préfère alors éviter l'escalade : « *Tu es de mauvaise humeur ? Va dans ta chambre, c'est préférable.* » Par chance, Cyrille ne se le fait pas dire deux fois et accepte de se retirer. « *Sans doute parce que c'est une politique que j'ai mise en œuvre depuis son plus jeune âge* », précise-t-elle. De même chez Julie : « *Au premier écart, depuis qu'elles sont toutes petites, mes filles sont renvoyées dans leur chambre. Au deuxième, il y a punition : je les prive de sortie par exemple.* » Chez Gaëlle, c'est plus compliqué : « *Bruno ne sort pas toujours de la pièce quand je le lui demande. Il continue à chercher la bagarre. C'est alors moi qui me retire. Il faut qu'il y en ait un des deux qui s'extraie du jeu.* »

À chaque parent de présenter le retrait dans la chambre sous le mode qui lui convient : sous forme de punition comme Julie – mais, dans ce cas, il vaut mieux que l'enfant y soit habitué depuis longtemps, car l'adolescence n'est pas le moment idéal pour opérer un soudain changement de style éducatif ; ou sous forme de proposition comme Colette : *« Je lui propose une porte de sortie »*, dit-elle.

… ET SAVOIR LE RENOUER

Selon Colette, il est déconseillé de dire : *« Tu t'excuseras en revenant. »* Elle préfère : *« Tu reviendras quand tu te sentiras prêt. »* Forcer des excuses ne fait que prolonger le conflit, car l'adolescent se sent contraint et infantilisé. S'il a dépassé les bornes, il saura reconnaître ses torts de lui-même plus tard : *« Avec un adolescent, il faut être patient : ça peut être le lendemain… ou huit jours après. Je le laisse venir »*, déclare Colette. Souvent aussi, les excuses prennent une forme indirecte : l'adolescent se montre soudain tout gentil, serviable, voire câlin. C'est une manière de se faire pardonner. *« Il ne faut pas l'envoyer sur les roses ou ironiser sur ses sautes d'humeur à ce moment-là*, appuie Colette. *Ce serait très vexant pour lui. Il faut se réjouir des petites choses, des moments de complicité où le dialogue passe, et il y en a. »* C'est donc à nous, parents, qu'il revient de nous adapter au mode étrange – qui nous est d'abord étranger – de communication adolescente. Toute la difficulté étant, quand il nous devient familier, de ne pas nous surprendre à l'imiter et de savoir mettre notre orgueil dans notre poche !

À CHACUN SON LANGAGE

Face à ce vocabulaire qui vous laisse perplexe et résonne parfois à vos oreilles comme une langue étrangère, comment réagir ? Anna a fini par le décrypter et par s'en amuser : « *Le jour où j'ai compris que "J'ai déchiré ma race" voulait dire "J'ai réussi", ou que "J'vais m'arracher" signifiait en réalité "Je vais y arriver"... j'ai trouvé cela plutôt drôle.* » Drôle tant que le langage reste correct, mais quand il devient vulgaire ? « *Leur dire de surveiller leur langage ne donne aucun résultat*, a constaté Gaëlle. *J'ai trouvé un truc plus efficace : je les imite. Je me mets à parler cru. Ils me disent : "Mais, maman, qu'est-ce qui te prend ?" Cela les choque horriblement.* » Là encore, jouer la provocation, recourir aux mêmes armes que l'adolescent le désarçonne et porte ses fruits. Mais, une fois de plus, il faut savoir s'arrêter et ne pas laisser contaminer son langage par les expressions des « *djeun's* », au risque d'agacer ces derniers prodigieusement. Et vous verrez, ce n'est pas si évident !

4 SATURDAY NIGHT FEVER

« J'avais dit minuit. – Ah, bah, j'ai entendu minuit et demi ! »

À partir d'un certain âge – 15 ou 16 ans en général – l'adolescent est autorisé à sortir seul le samedi soir. Une nouvelle vie, nocturne, commence pour lui… et pour vous aussi !

Bien sûr, comme tous les parents, vous avez fixé à votre noctambule en herbe une heure de retour. Mais elle est rarement respectée. Étrange, comme tout semble dérailler ce soir-là : le bus est en retard, le train en grève, la voiture des parents de Lucie en panne… Tiens, tiens… À l'heure dite du retour, alors que vous tentez de trouver le sommeil, le téléphone retentit. Vous décrochez :

« Ouais, m'man, c'est Arnaud. J'suis encore chez Benoît, là. J'peux rester encore un peu ? Le dernier train est à 1 h 30…

– Euh… pfff… Bon, d'accord, mais c'est la dernière fois ! »

Une heure et demie plus tard : dring ! « *Ouais, m'man, en fait, j'ai raté le train. Je rentre à pied, OK ?* » La nuit s'annonce difficile !

RÉAGIR

Tous ces prétextes que vous devinez mensongers, cette façon de pousser toujours un peu plus loin les limites et la mauvaise foi caractérisée dont l'adolescent fait preuve au moment où vous lui réclamez des comptes, ont le don de vous mettre en colère. Mais vous cherchez bien souvent à la réprimer, soulagé(e) qu'il soit rentré au bercail. Ce n'est peut-être pas la meilleure des stratégies : « *Ce n'est pas une obligation de rester zen en permanence et de façon artificielle*, rappelle Julie. *Parfois, cela vaut aussi le coup de ne pas fléchir et de montrer sa colère.* »

Un soir, Gaëtan, 16 ans, est une fois de plus rentré en retard. « *J'avais dit minuit* », proteste Gaëlle. Pour se voir répondre : « *Ah, bah, j'avais entendu minuit et demi* », d'une voix nonchalante. Gaëlle avait l'habitude de laisser tomber. Après tout, une demi-heure, ce n'est pas grand-chose… oubliant que cette demi-heure lui avait paru mille ans. « *À ma grande surprise, mon mari s'est alors mis très en colère,* raconte-t-elle. *Gaëtan a compris qu'il avait atteint une limite ; ensuite, il a fait attention.* » L'intervention paternelle inattendue a permis à Gaëtan de remettre ses horloges à l'heure. D'autant que le lendemain, Gaëlle est allée parler à son fils, plus sereinement, en lui expliquant qu'elle et son père lui faisaient confiance. Qu'il lui appartenait donc de ne pas casser cette confiance. Tout en revenant sur ses souvenirs personnels d'adolescence, pour lui citer quelques anecdotes hautes en couleur.

« *On croit souvent que dire que l'on a fait la même chose au même âge va saper notre autorité,* renchérit Estelle. *C'est l'inverse ! Ils me prennent pour une imbécile ? Je leur montre que je ne suis pas dupe. Moi aussi, j'ai tout testé, tout essayé : ils n'auront pas une vieille renarde comme moi.* » Exploser s'il est nécessaire, en sachant y revenir plus tard pour expliquer clairement les enjeux de la confiance, l'intérêt que l'adolescent peut en tirer, et lui dire que nous le comprenons, ayant vécu la même chose, lui permet de sortir de sa mauvaise foi. Il est alors temps de renégocier le contrat.

POSER DES GARDE-FOUS

Si vous constatez que votre adolescent rentre systématiquement en retard, il est sans doute bon d'en parler ensemble, de voir quelles en sont les raisons, quitte à donner un délai supplémentaire si cela vous paraît justifié. Mais il faut bien lui faire comprendre que ce nouveau contrat n'est plus négociable, en l'informant à l'avance des mesures qui seront prises s'il ne le respecte pas : « *J'ai prévenu Faustine que tout retard serait reporté sur la sortie suivante*, déclare Estelle. *Si elle arrive une heure en retard, elle devra rentrer une heure plus tôt la fois d'après.* » De son côté, Colette a mis en garde Cyrille : « *Si tu ne reviens pas à l'heure aujourd'hui, la prochaine fois, c'est moi qui vais te chercher devant tes copains.* » L'argument s'est révélé très efficace.

Plutôt que de recourir à la menace du « *Tu seras privé de sortie la prochaine fois* » – ce qui assombrirait vos relations et s'avère difficile à appliquer –, il vaut mieux mettre en place des sanctions adaptées et proportionnelles au délit… et ne pas hésiter à les mettre à exécution, le cas échéant !

TOLÉRER DE PETITS RETARDS…

Établir un contrat, en prévenant qu'il sera appliqué sans états d'âme, permet aussi de se détendre… car c'est bien là le but. Vous aussi avez le droit de profiter de votre samedi soir ! Dans les premiers temps, il est naturel de rester vigilant, pour voir si votre confiance se justifie. Si l'examen est concluant, inutile de se transformer en horloge suisse et de rester braqué sur sa montre quand l'heure de Cendrillon approche. Minuit a sonné et la belle n'est pas rentrée ? Son carrosse a peut-être été pris dans un embouteillage – à moins que la princesse n'ait pris les transports en commun, qui, vous le constatez vous-même dans votre vie quotidienne, ne sont pas toujours fiables. Tant que les retards ne deviennent pas une habitude chronique… « *Les adolescents aiment tester les limites de notre tolérance, explique Patrick. Être à cran sur ces limites les encourage. Quand Laura rentre d'une fête avec trente minutes de retard, je préfère qu'elle me voie détendu, dans le salon, en train de regarder un bon film !* » Pour se détendre encore plus facilement, Patrick a d'ailleurs fait preuve d'un certain pragmatisme : « *J'ai donné la permission de*

11 heures. Comme ça, je suis sûr qu'elle sera rentrée avant minuit ! »

... ET GARDER LE CONTACT

Avec le temps, les permissions horaires vont s'assouplir. L'adolescent enchaîne parfois plusieurs fêtes, il bouge... parfois ne rentre pas. Pour rester détendu, il existe un petit outil miraculeux : le téléphone portable ! *« Si Paula prévoit de rester dormir chez une copine, je lui ai demandé de m'appeler ou de me laisser un message sur mon portable, même éteint. Comme cela, je ne me fais pas de souci »*, raconte Clarisse. *« J'ai demandé à Valéry de m'appeler ou de m'envoyer un texto s'il changeait de lieu au cours d'une soirée*, explique Estelle. *Du moment que je suis informée, je suis rassurée.* » Estelle n'est pas dupe : *« Je sais qu'il me ment parfois, qu'il n'est pas là où il prétend être. Mais le fait qu'il appelle, qu'il pense à garder le contact me prouve que ça va, qu'il a encore la tête sur les épaules... Nous pouvons en reparler calmement ensuite, face à face.* »

Mais il n'y a pas que les horaires de retour qui vous minent lors de ces sorties nocturnes : il y a aussi tout ce qui peut alors se passer loin de vos yeux...

5 ALCOOL, DROGUE ET *ROCK'N ROLL*

« Axel, quand on a trop bu, on vomit dans les toilettes, pas dans le lavabo ! »

L'année dernière, Ella a fêté ses 15 ans. Elle a invité toute sa bande d'amis à passer la soirée à la maison. Sylvie emmène sa fille au supermarché pour remplir le réfrigérateur. En passant devant le rayon des alcools, l'inévitable question tombe : *« Dis, maman, je peux acheter quelques bières pour mes copains ? »* Sylvie refuse : *« À 15 ans, j'estimais que c'était un peu tôt »*, affirme-t-elle. Le soir, comme convenu, les parents d'Ella vont dîner à l'extérieur. En revenant, la soirée bat son plein. Par réflexe et pour vérifier que les invités ne manquent de rien, Sylvie ouvre le réfrigérateur au passage : *« Il était rempli de bouteilles d'alcool ; chaque personne avait apporté la sienne ! Je ne me doutais pas que la consommation d'alcool commençait aussi jeune... »*

TRÊVE DE NAÏVETÉ !

Eh oui ! ne rêvez pas : l'âge du Champomy® est bel et bien fini. Il vous suffira de jeter un œil sur les brochures d'information que vos adolescents rapportent du collège pour prendre connaissance de quelques faits avérés : en France, 70 % des garçons et 63 % des filles consomment leur premier verre (de bière en général) à l'âge de 12 ans. Le premier joint est fumé vers 14 ans. Dans les soirées, très tôt, les joints circulent, les verres s'entrechoquent : *premix* – ces boissons alcoolisées déjà mélangées, sous forme de canettes, comme le rhum-cola par exemple – ou même alcool fort que les jeunes se procurent avec la complicité d'un aîné, d'un ami majeur... ou tout simplement en allant se servir dans la réserve parentale ! En boîte de nuit, les bracelets réservés aux plus de 18 ans, qui permettent l'accès au bar, s'échangent allègrement, comme l'a confié Raphaëlle, 16 ans, à sa mère Delphine.

LA MORALE, ÇA LES SOÛLE !

« Leur dire : "Ne bois pas" est illusoire. Ils le feront de toute façon », a constaté Caroline, mère de Jean, 17 ans, et d'Aline, 15 ans. *« Je crois même qu'interdire ou diaboliser l'alcool aurait un effet encourageant. Il est bon d'en parler, mais plutôt sur le mode d'une discussion ouverte. »* Ainsi, l'année passée, ses enfants devant partir en séjour linguistique à l'étranger, Caroline a préféré prendre les devants : *« Est-ce que vous avez déjà bu ? »* demanda Caroline d'un ton neutre. Réponse commune : *« Ouais, bien sûr, dans les soirées. » « J'ai posé beaucoup de questions et cela m'a permis de voir quel était leur type de consommation. Depuis, nous en parlons, après une soirée, quand le moment s'y prête. Je n'interdis pas, mais j'essaye d'attirer leur attention sur leurs propres limites. Je parle du coma éthylique, de la sécurité routière, des vrais dangers. Ils sont tellement surinformés et mis en garde contre tout à la fois qu'ils en oublient parfois l'essentiel ! »*

FACE À LA CUITE, QUE FAIRE ?

Même si ces discussions sont utiles, elles n'évitent pas toujours la cuite occasionnelle. Si vous en êtes témoins, estimez-vous chanceux car vous tenez là une occasion rêvée de réagir. « *Un samedi soir*, raconte Anna, *Axel est rentré, la mine défaite, et s'est précipité vers le lavabo pour vomir.* » Anna se garda bien de se lancer dans une diatribe contre les excès de l'alcool. Réservant ses remarques pour le lendemain, elle préféra lui mettre en main seau, eau de Javel et gants en caoutchouc et lui rappeler ce grand précepte : « *Axel, quand on a trop bu, on vomit dans les toilettes, pas dans le lavabo ! Pour la peine, tu vas tout nettoyer.* » Le *pater familias* arriva aussitôt à la rescousse : « *Pour te remettre, tu peux manger des cornichons... Tu en trouveras un bocal dans le réfrigérateur. Et n'oublie pas de boire aussi leur eau : c'est miraculeux.* » Anna et Stéphane en restèrent là sur le moment, le trouvant inadapté pour une discussion sérieuse. Mais ils sont revenus sur les événements dès le lendemain, pour appeler leur fils à plus de vigilance.

Face à un adolescent qui a (trop) bu, inutile en effet de monter sur vos grands chevaux, de crier au scandale ou de partir dans une leçon de morale : il n'est pas en état de vous entendre. Sur le moment, la plus saine réaction est la dérision, le soutien, l'humour même, voire quelques conseils – prouvant que vous êtes, vous aussi, passés par là – qui inciteront, plus tard, votre adolescent à la confidence et à l'écoute de ce que vous avez à lui dire.

La dérision fonctionne aussi à merveille lorsque l'adolescent, en votre présence, est témoin de la cuite d'une tierce personne. Ainsi, Raphaëlle, pour ses 16 ans, avait organisé une soirée chez elle. Voyant tous les copains arriver avec leur sac à dos rempli de bouteilles, ses parents prirent aussitôt leur fille à part : *« Raphaëlle, c'est toi qui organises la soirée : tu assumes. Si quelqu'un vomit, tu nettoieras »*, avant de se retirer dans leur chambre. *« À 1 heure du matin, certains amis de Raphaëlle, complètement ivres, se sont mis à lancer des bouteilles dans le jardin par la fenêtre,* raconte Delphine. *Je suis descendue voir tout de même et lui ai simplement dit : "Dis donc, ils sont crétins tes copains." Je me suis recouchée, la laissant régler le problème… Ils se sont d'ailleurs calmés peu après… et nous en avons reparlé le lendemain. »*

EN REPARLER… À JEUN !

De fait, le lendemain, une fois que l'adolescent a dessoûlé (et tout nettoyé !), une petite explication s'impose. Axel, visiblement abattu, reconnut avoir fait quelques mélanges… Ses parents lui expliquèrent alors que boire était une chose, se soûler une autre, plus grave, mais sans en rajouter – les mauvaises expériences parlent d'elles-mêmes. Anna et Stéphane insistèrent donc surtout sur la sécurité : *« Si, par accident, tu te retrouves dans le même état, sois prudent, ne rentre surtout pas à vélo comme hier. Prends les transports en commun ! »* Quant à Raphaëlle, elle s'excusa d'elle-même auprès de ses parents et cette expérience la marqua fortement. Face à l'alcool, plus votre réaction est « sobre », plus elle permet à l'adolescent de prendre du recul et d'en prendre de la graine.

JOINTS = VIGILANCE

La fumette occasionnelle rejoint et recoupe souvent la consommation d'alcool, et le mode d'emploi avec les adolescents est donc sensiblement le même : discussion ouverte, confidences, soutien, dérision, utilisation des mauvaises expériences. À la seule différence que le joint peut envahir la sphère privée de l'adolescent et déborder le cadre des soirées (ce qui est assez rare pour l'alcool, à cet âge).

Une vigilance accrue s'impose donc. L'adolescent a besoin d'un positionnement clair de la part de ses parents et de sentir que leur attention est portée sur lui – car cette attention est une preuve d'amour –, même si elle lui déplaît de prime abord. En cas de problème, la réaction la plus efficace est de monter au créneau, quitte à entrer en conflit. Ainsi, autant Anna avait préféré adopter une réaction modérée par rapport à l'alcool, autant elle intervint avec force lorsqu'elle apprit que l'un des amis d'Axel était un *dealer* notoire. Un événement l'alerta : deux filles de 15 ans du lycée de son fils, s'étant approvisionnées auprès du jeune homme, avaient préparé un *fairy cake* (gâteau au haschich) un samedi après-midi en l'absence de leurs parents. Quand ces derniers rentrèrent, l'une d'elles était dans le coma, l'autre se vidait en rendant tout ce qu'elle avait mangé. Anna alla aussitôt dénoncer le *dealer* au proviseur du lycée, qui le renvoya de l'établissement. Colère noire d'Axel, choqué que sa mère ait pu dénoncer un de ses copains, arguant que ce dernier regrettait son acte et avait décidé d'arrêter le trafic. *« Nous avons eu une dispute sévère. Il m'a dit que j'étais "vendue aux profs", m'a traitée de "délatrice". Je lui ai tenu tête en justifiant ma position : j'ai parlé de mon excès de vitesse de l'été dernier que je regrettais moi aussi, ce qui ne m'empêcherait pas de payer l'amende. Morale : quand on ne respecte pas les règles, il faut payer sa dette. J'ai fini en lui rappelant aussi que j'avais fait ce geste pour le protéger.* » Le conflit entre Axel et sa mère dura plusieurs semaines, puis tout rentra dans l'ordre. « *Quel que soit le mécontentement d'Axel, je pense avoir eu raison. Le conflit avec un adolescent ne doit pas être évité sur les sujets les plus graves. Ils ont besoin de comprendre qu'il y a des limites et qu'on est là pour les protéger, parce qu'on les aime. Axel ne l'a pas encore compris, mais il le comprendra un jour.* »

Pour savoir comment réagir en cas de problème et trouver des idées originales et astucieuses pour aborder avec les jeunes cette question trop vaste pour être résolue en un seul chapitre, vous pouvez aussi consulter nos *10 astuces de parents pour parler de la drogue avec ses enfants.*

6 RAZZIA SUR LE FRIGO

« C'est nul, y a jamais rien à bouffer dans cette maison ! »

Chez Clarisse et Bertrand, samedi pour le déjeuner, un siège est resté vide autour de la table familiale : celui de Paula, 18 ans. *« Elle a sans doute déjeuné en ville avec une amie »*, présume Clarisse, un peu vexée de ne pas avoir été prévenue. Le repas achevé, elle fait la vaisselle, range sa cuisine… et s'apprête à aller enfin se détendre quand, soudain : clic clac, elle entend une clé tourner dans la serrure. C'est Paula, visiblement de bonne humeur : *« Je suis allée prendre un pot avec Nathalie… Ah ça m'a mise en appétit. »* Et de se précipiter sur le réfrigérateur. *« Elle a commencé à tout sortir. En revenant un peu plus tard, j'ai découvert ma cuisine en chantier : Paula était partie en laissant tout en plan et sans faire la vaisselle. C'est rageant :*

j'ai vraiment l'impression de tenir un hôtel ! »

Comme l'analyse Clarisse : « *Paula avait sans doute l'intention de revenir nettoyer plus tard, en son temps, mais elle ne s'est pas demandé si ce désordre allait me gêner. De même, elle ne s'est pas donné la peine de me prévenir qu'elle serait en retard pour le déjeuner. En fait, l'adolescence, c'est le règne du "moi, je". Ils font leur cuisine à eux, dans leur coin. Ils ne se mettent pas à la place des autres. Mais les "autres", eux, ont intérêt à remplir le réfrigérateur et les placards... sinon, c'est l'esclandre !* »

FAITES LA GRÈVE !

Vous avez l'impression que l'on vous prend pour un esclave – comme vous vous en plaignez souvent à votre pacha d'adolescent. Ces récriminations ne servent à rien. Pour commencer à vous faire entendre, il faut d'abord frapper un grand coup et déclarer la grève générale !

Comme tous les soirs, Delphine a préparé un repas convivial à l'intention de ses trois filles : Pauline, 18 ans, Raphaëlle, 16 ans, et Sarah, 14 ans. « *Comme de nombreuses adolescentes, elles font attention à leur ligne. Je veille donc à cuisiner léger, à mettre des crudités : je me donne du mal !* » Le repas est prêt. Delphine appelle ses filles, s'assied et attend… attend… attend. Ah, enfin les voici ! Et Raphaëlle, jetant un regard dédaigneux sur son assiette, déclare : *« Bon, eh bien, je vais me préparer une p'tite soupe.* » La scène se répétant souvent, Delphine y est habituée. Mais ce jour-là, la goutte de soupe fait déborder le vase de sa patience. *« Je me suis levée de table et j'ai simplement dit : "Je vais faire un tour."* » En rentrant, Delphine découvrit, sur la table, son assiette que ses filles avaient fait réchauffer au micro-ondes.

« Ça va, maman ?

– Ça va très bien, mes chéries. »

Dans les jours qui suivirent, Delphine cessa de préparer les repas. Elle mangeait ce qui lui plaisait, quand elle en avait envie : *« Je n'ai pas crié, je ne me suis pas mise en colère. Elles ont fini par me demander ce qui se passait : on a fait une table ronde, négocié et trouvé un arrangement pour satisfaire tout le monde. »* Aujourd'hui, les adolescentes préviennent leur mère quand elles veulent se préparer un menu en solo, tout en gardant un moment de retrouvailles familiales autour de la table : *« Parfois, on mange ensemble des plats différents. C'est assez sympathique finalement, on se croirait au restaurant. »*

PREMIER ARRIVÉ, PREMIER SERVI !

Autre problème rencontré par les parents lors des repas familiaux : les convives se font attendre ! « *Entre le moment où je crie : "À table !" et le moment où ils arrivent, il peut s'écouler une bonne demi-heure*, déplore Sylvie. *Avant, je m'époumonais, je faisais le tour des chambres, puis j'attendais avec mon mari. À présent, nous nous asseyons et nous commençons. En général, nous en sommes au fromage quand le dernier arrive !* »

Cette stratégie a le mérite de ne pas faire souffrir les cordes vocales de Sylvie, mais a des inconvénients : le repas traîne en longueur – « *Cela entrecoupe le repas, ils se lèvent sans arrêt pour réchauffer les plats* » – et, bien sûr, cela frustre les parents de précieux et importants moments de convivialité avec leurs adolescents. Si vous tenez à partager vos repas avec vos VIP chéris, il faut donc recourir à des techniques plus énergiques !

Étape n° 1 : anticiper. « *Attention, dans dix minutes, on passe à table !* » annonce Frédérique.

Étape n° 2 : désigner un rabatteur. « *Le*

moment venu, j'envoie leur petite sœur les chercher », explique Aurélie. En cas de vaste maisonnée, ne négligez pas la technologie : « *J'appelle sur son portable celui qui a la chambre la plus éloignée, il est chargé de rabattre ses frères* », ajoute-t-elle.

Étape n° 3 : ne pas faire de restes. « *Avant, lorsqu'il y en avait un qui traînait pour passer à table, je veillais toujours à lui garder sa part,* raconte Caroline. *Aujourd'hui, je laisse ceux qui le souhaitent se resservir. Et quand le retardataire arrive, il ne reste parfois plus grand-chose !* » Si l'intéressé s'étonne, Caroline joue l'innocente : « *Ah, on croyait que tu ne viendrais pas ! Mais tu peux te préparer quelque chose, si tu as faim.* » Et pour terminer en beauté, Caroline conseille d'établir une règle à haut potentiel dissuasif : « *Le dernier à table est celui qui range.* » Vous verrez que vos invités seront beaucoup plus ponctuels !

CULTIVER LES PETITES ATTENTIONS

En parallèle, et pour ne pas couper l'appétit de vos hôtes ainsi malmenés... sachez les allécher avec de petites attentions personnelles. Aurélie connaît le petit faible de chacun de ses enfants. Par exemple, son fils Thibaud a une prédilection pour le foie de veau, et elle ne manque jamais une occasion d'en acheter. Vous pouvez les faire participer à la préparation des repas ou bien à l'élaboration des menus : « *Avant de faire les courses, je demande à mes filles ce qui leur ferait plaisir*, ajoute Daphné. *Justine a un petit appétit et préfère fractionner ses repas ; je lui prévois donc des en-cas.* » Thibaud et Justine sont toujours touchés par ces petits clins d'œil… et leur humeur s'en ressent. Avis à toutes les mères (et femmes), il n'y a donc pas que les maris qu'on « *tient par le ventre* » : la tactique marche aussi avec les adolescents !

D'ailleurs, c'est par ces petites attentions et des aménagements somme toute minimes que vous éviterez… un certain et très classique esclandre. « *Un après-midi*, raconte Diane, *en rentrant du sport, Fred, 18 ans, fonce sur le placard et se met à hurler : "C'est nul, y a jamais rien à bouffer dans cette maison !*

– *Il y a pourtant du lait, des fruits…*

– *Y a que de la m… !*

– *Mais qu'est-ce que tu veux ?!"* »

Enquête faite, ce que voulait Fred et rien d'autre, c'était un paquet de gâteaux que son jeune frère, Arthur, 14 ans, avait eu l'audace de dévorer avant lui dans la journée ! Diane résolut ce grave (et fréquent) drame de la vie familiale en compartimentant son placard en espaces protégés – chacun de ses adolescents ayant le sien. De même, pour éviter la classique bagarre matinale sur le paquet de céréales – il y a de meilleures façons de commencer la journée ! –, Frédérique achète désormais un paquet pour chacun de ses enfants… et elle inscrit leur nom dessus ! Quant à Caroline, afin de stopper le pillage du réfrigérateur et des réserves, elle a créé un placard compartimenté *« spécial goûter »* : *« Chacun me fait une liste de ce qu'il veut y trouver : fruits, jus, biscuits, barres de céréales, soupes chinoises… Depuis, j'ai la paix. »* Ces quelques règles de colocation établies, vous retrouverez en effet une vie de famille plus harmonieuse… du moins dans la cuisine ! Mais n'est-ce pas là l'un des territoires les plus stratégiques ?

7 ÉCOLE, BOULOT, DODO

« Ses résultats sont catastrophiques. C'est à s'arracher les cheveux ! »

Parmi les nombreux sujets qui fâchent à l'adolescence, l'un des plus fréquents – et des plus angoissants pour les parents – est celui de la scolarité.

« Tiens, à propos, Jean, tu as eu des résultats aujourd'hui ? hasarda Caroline, un soir.

– *Nan !*

– *C'est bizarre... Ça fait deux mois que tu n'as pas eu de note...*

– *J't'ai dit qu'y avait qu'un contrôle par trimestre ! J'y peux rien, moi ! »*

Deux semaines plus tard, le carnet de Jean arriva par la poste. Ce qui permit à Caroline de constater deux choses : 1) il y avait plus d'un contrôle par trimestre ; 2) les résultats de son fils étaient catastrophiques. « *C'est à s'arracher les cheveux ! Il se comporte comme un enfant face à son travail, il fuit ses responsabilités…* » Devant cette situation, beaucoup de parents se transforment en gendarmes qui demandent si les devoirs sont faits, sonnent le réveil matinal, réclament les notes, remontent les bretelles… C'est épuisant mais pas toujours efficace, même si une bonne mise au point, bien autoritaire, est payante en cas de crise de paresse. Mais en cas de difficultés scolaires chroniques, si l'adolescent est vraiment démotivé, voici, en trois leçons, un petit plan d'action pour sauver le navire en détresse.

LEÇON N° 1 : LES RESPONSABILISER

C'est la première étape, et la tactique est simple : ne plus les assister en permanence, surtout en ce qui concerne les horaires ! « *Il arrive souvent à Ella (16 ans) de ne pas entendre son réveil le matin pour partir à l'heure au lycée. Sans doute parce qu'elle se couche très tard, ce que je lui reproche* », a constaté Sylvie, qui, pendant de longs mois, comme de nombreux parents, s'est transformée en réveil-matin et est allée sonner le clairon dans la chambre de sa fille. Puis, un beau matin, elle décida… de ne pas s'en mêler : « *Quand Ella s'est réveillée, vers 11 heures, elle a paniqué, s'est habillée en vitesse… et a écopé d'une note de retard, dans le bureau du proviseur.* » L'épisode s'est reproduit plusieurs fois. Et Ella a fini par se lever d'elle-même… et donc par se coucher plus tôt.

Cela ne suffit pas et vous craignez que votre enfant ne comprenne pas la leçon ? Vous pouvez l'aider à se coucher plus tôt, en supprimant ce qui le garde éveillé dans sa chambre : baladeur, ordinateur, téléphone mobile, que vous faites recharger dans votre chambre, comme le fait Anna.

LEÇON N° 2 : RETROUVER LA CONFIANCE EN SOI

Autant, dans certains domaines, les adolescents ont besoin d'être secoués par leurs parents, autant, dans leur scolarité, ils ont souvent besoin d'être soutenus. N'ayez crainte : leurs professeurs n'ont pas la dent douce non plus. Un petit peu de réconfort à la maison ne gâchera rien, car il s'agit souvent d'un manque de confiance en eux. « *J'ai confiance en toi* », « *Tu peux y arriver* » : même si ces formules choquent notre esprit français, porté à la critique et à l'examen de soi permanent, il faut oser les dire. Si cela n'est pas suffisant, lancez des campagnes de promotion, aussi bien auprès des professeurs que de votre adolescent, comme Aurélie : « *Depuis deux ans, Ophélie (15 ans) ne voulait plus travailler. J'ai même dû la changer d'école... Pour démarrer du bon pied, je lui ai demandé tout ce qu'elle trouvait de bien chez ses professeurs. Puis je suis allée les voir un par un en leur rapportant ses propos ; à leur tour, ils m'ont dit ce qu'ils appréciaient chez Ophélie, ce que je me suis empressée de lui transmettre. Elle a repris confiance et goût au travail.* »

Aurélie eut, jusqu'à la classe de troisième, beaucoup de souci avec son fils aîné, Joe. « *Parti comme cela, tu ne pourras même pas aller en lycée technique* », lui avait assené le professeur principal. Aurélie chercha conseil auprès d'une amie, qui lui raconta une anecdote : sa fille, aux résultats très médiocres, avait été félicitée un jour par le professeur principal, qui l'avait confondue avec une autre élève. À la suite de cette « *erreur* », ses notes étaient montées en flèche. Aurélie alla trouver Joe et, en parlant de façon sereine, comprit avec effarement que son fils était convaincu d'être idiot. Elle l'emmena derechef faire un test de Q.I. Lorsqu'il vit les résultats, Joe reprit confiance et ses résultats s'améliorèrent.

Et si, malgré tous vos encouragements, les résultats ne décollent pas, persistez : « *On ne te demande pas d'être le meilleur, on te demande de faire de ton mieux* », n'a cessé de répéter Sylvie à son fils Jérémy, dont la scolarité est toujours restée très moyenne. Arrivé péniblement jusqu'au baccalauréat, Jérémy a fini par intégrer la formation qu'il souhaitait. Et d'un seul coup, à la grande surprise de ses parents, ses résultats se sont envolés.

LEÇON N° 3 : LES AIDER À TROUVER LEUR VOIE

L'école n'est pas une fin en soi. Certains jeunes, qualifiés de « *peu doués* » par leurs professeurs, font une carrière plus épanouie que des « *meilleurs de la classe* ». Vers 15 ans, beaucoup n'ont pas encore trouvé leur voie. Ils ont besoin qu'on les prenne par la main et qu'on leur consacre du temps pour les aider dans cette recherche. À la suite du test de Q.I., Aurélie passa du temps avec Joe à parcourir les brochures ONISEP et à réfléchir aux métiers qui pouvaient l'attirer : « *Devoir choisir, à 15 ans, LE métier qu'on veut faire plus tard est complètement déprimant. Ils n'ont même pas commencé leur vie et tout serait déjà joué ? Il vaut mieux orienter leur regard vers différentes possibilités : c'est plus stimulant.* »

Même les meilleurs élèves peuvent s'effondrer brutalement à l'heure fatale de l'orientation… Ce fut le cas de Raphaëlle, en seconde. Tous ses professeurs la destinaient à la 1re S. Soudain, les résultats de Raphaëlle tombèrent en chute libre. Incompréhension générale, levée de boucliers. Seul son professeur de mathématiques, plus clairvoyant, émit quelques réserves : « *Raphaëlle peut tout à fait suivre un cursus scientifique, mais je crois que cette perspective ne l'enchante guère* », confia-t-il à Delphine. En rentrant, celle-ci demanda à Raphaëlle : « *Quels métiers aimerais-tu faire ?* », et d'ouvrir la brochure ONISEP.

Aucun des métiers visés par Raphaëlle ne nécessitait un baccalauréat scientifique. Elle fut réorientée en 1re L, où elle s'épanouit aujourd'hui.

Parfois, enfin, c'est l'inverse : l'adolescent a de réels talents intellectuels, mais refuse de les utiliser. « *À 15 ans, Fred a découvert sa vocation : il voulait devenir cuisinier* », raconte Diane. À la fin de la 3e, il entrerait en apprentissage. « *J'ai cherché à le mettre en contact avec des personnes qui pouvaient le conseiller de façon objective, sans parti pris – contrairement à nous, ses parents. Nous avons pris un rendez-vous avec le directeur d'un centre d'apprentissage qui lui a dit : "Écoute, Fred, tu as 15 ans. Tu es bon à l'école. Tu vas te sentir seul ici. Continue, tiens le coup encore un peu." Fred a écouté ce conseil venant de l'extérieur : il a passé son bac S sans problème. Il a pu alors intégrer une des meilleures écoles hôtelières du pays. »*

Il peut paraître contradictoire, d'une part, de confronter ses enfants à leurs responsabilités et, d'autre part, de reconnaître leur immaturité face à l'avenir. Pourtant, c'est dans ce périlleux mais savant jonglage que les jeunes trouvent petit à petit leur voie. Les parents découvrent aussi, à cette occasion, que les adolescents ne sont pas tous des petites graines de Proust ou d'Einstein. En prendre conscience permet aussi de les aider avec plus d'efficacité.

8 LEUR VIE SUR LA TOILE

« Attends, je finis sur MSN et j'arrive… »

Ting tong ting ! Cette petite musique, Delphine la connaît bien. C'est celle qu'émet l'ordinateur de sa fille aînée, Pauline, à chaque fois qu'elle ouvre MSN. Quand Pauline part *« travailler »* dans sa chambre, en annonçant : *« Bon, j'vais faire des recherches sur mon ordi »*, Delphine sait que la petite musique ne va pas tarder à résonner. Une heure passe… Delphine pointe alors le nez à la porte de sa fille : *« Dis donc, elles sont longues, tes recherches… »* Pauline, devinant son approche, vient de cliquer pour rabattre la page de MSN et faire apparaître celle de Google, qui lui sert d'alibi. *« M'en parle pas !… »* soupire-t-elle.

« Depuis que Pauline a un ordinateur personnel dans sa chambre, il m'est devenu

beaucoup plus difficile de contrôler le temps qu'elle passe sur Internet et les sites qu'elle visite, explique Delphine. *Aujourd'hui, elle a 18 ans, c'est une grande fille et je lui fais confiance. Mais j'aimerais que son travail ne s'en ressente pas.* » Ses cadettes, Raphaëlle (16 ans) et Sarah (14 ans), continuent à se partager l'ordinateur du salon. *« Même ainsi, il m'est impossible de tout surveiller : Raphaëlle a eu un flirt il y a quelques mois avec un jeune homme majeur, rencontré sur Internet et qui lui a fixé un rendez-vous ! »* Interdire ? Vérifier les historiques ? Barricader l'accès de mots de passe ? Delphine n'y songe pas : *« Jusqu'à 12-13 ans, c'est possible et efficace. Mais après, c'est illusoire. Elles ont de toute façon accès à Internet ailleurs, chez leurs amis, dans les cafés. Je préfère miser sur le dialogue et la connivence pour savoir ce qui se passe, plutôt que sévir et qu'elles me fassent des cachotteries. »*

OÙ ET QUAND ?

Toutefois, cette attitude compréhensive pour maintenir le dialogue n'a pas empêché Delphine de réglementer l'accès à l'ordinateur du salon à l'intention des cadettes. *« J'ai accordé une heure de navigation par jour à chacune : elles ont leur créneau horaire. Cela évite déjà pas mal de chamailleries. Et elles n'y ont accès qu'une fois leurs devoirs terminés !* » Ces règles n'évitent pas quelques contrariétés, dont le fameux : *« Attends, je finis sur MSN et j'arrive...* » au moment de passer à table. Mais elles pallient déjà bon nombre de débordements.

Tous les parents conseillent aussi de placer l'ordinateur dans une pièce ouverte et commune où l'adolescent se sentira moins enclin à naviguer sur des sites au contenu suspect. Mais dès qu'il possède son propre ordinateur, dans sa chambre, ces garde-fous s'effondrent. La seule solution est alors de responsabiliser l'adolescent sur son usage d'Internet... et de le prévenir des risques qu'il encourt.

PASSER UN CONTRAT

Axel, qui est en 1re S, possède depuis quelques mois un ordinateur portable dans sa chambre. La veille d'un important contrôle de maths, il annonce fièrement à ses parents :

« Je m'entraîne au poker on line *en ce moment : je suis passé au niveau 4 étoiles en dix jours !*

– Euh... et ton contrôle ?

– No problemo *: avec le poker, j'améliore ma capacité d'analyse et de déduction. J'vais m'arracher au contrôle.* »

Anna et Stéphane prirent le parti d'en rire. Le contrôle ayant lieu le lendemain, il n'y avait de toute façon plus grand-chose à faire. La sanction de la note parlerait d'elle-même... Ce qui ne manqua pas : Axel écopa d'un 10, un résultat beaucoup plus bas qu'à l'ordinaire. Cela lui servit de déclic : il prit conscience qu'il négligeait son travail au profit de ses activités d'internaute. Voyant qu'il ne contrôlait pas sa consommation, son père lui imposa alors un contrat : *« Tu viens déposer ton portable tous les soirs dans notre chambre quand tu rentres du lycée, et tu peux le reprendre quand tu as fini ton travail. »* Axel accepta la règle du jeu et, certains soirs à présent, il ne touche même pas à son ordinateur. Comme Anna le souligne, *« cette solution n'est efficace que si l'adolescent a lui-même réalisé qu'il y avait un problème dont il risquait de pâtir... d'où l'intérêt de savoir aussi ne pas tout contrôler pour qu'il fasse ses propres expériences »*. Et bien sûr, elle n'est applicable que si l'ordinateur est un portable... Pour les ordinateurs non transportables, une place de choix dans une pièce commune à l'accès réglementé est donc de mise...

LES METTRE EN GARDE...

« Ce soir-là, lorsqu'il nous parla pour la première fois du poker on line, ajoute Anna, *nous l'avons mis en garde : "Fais attention aux arnaqueurs ! Pour l'instant, tu joues avec de la fausse monnaie... mais un jour, on te proposera peut-être de payer pour continuer à jouer." »* Et en effet, peu de temps après, Axel raconta à ses parents qu'un internaute lui avait proposé de passer aux choses sérieuses. *« J'ai refusé,* martela-t-il, *faut pas m'prendre pour un bouffon ! »*

Sans crier au loup ni diaboliser Internet, il est bon d'attirer l'attention des adolescents sur ses dangers, en veillant à trouver les arguments qui touchent leur sensibilité : être arnaqué, diffamé, surveillé ou volé par des pirates, non respecté en tant que personne humaine. N'en faites pas trop : les adolescents valorisent énormément Internet. Cet outil leur offre de nombreuses possibilités d'expression et d'information (blogs, forums, pages personnelles, outils de recherche, etc.) et représente pour eux une formidable ouverture sur le monde. S'ils vous sentent unilatéralement hostiles, ils se diront que vous n'y avez rien compris, que vous êtes des *« ringards »*, et n'écouteront pas vos conseils. En plus de ces recommandations en amont, Delphine a toujours incité ses filles à venir lui parler et à se confier si quelque chose se produisait. Tout en les rassurant : *« Il ne faut surtout pas laisser penser à l'adolescent qu'il sera puni ou verra son accès à Internet réduit en cas d'incident. Sinon, il ne viendra pas en parler. »*

... OU PRENDRE LE TAUREAU PAR LES CORNES

Quand la situation l'exige toutefois, une intervention forte est nécessaire. *« Mon fils Jérôme (15 ans) me montrait les photographies de la famille qu'il avait placées sur Facebook. Lorsque j'ai découvert qu'il y avait aussi des photos de lui, mises en ligne par une autre personne, des photos d'une fête privée en plus, je l'ai convoqué pour une explication immédiate »*, raconte Christine. Les photos avaient été postées par une amie de son fils : *« J'ai appelé l'amie en question puis ses parents pour faire aussitôt retirer les photos sous peine de poursuite. Mon fils s'est mis très en colère. Pendant deux jours, il s'est enfermé dans sa chambre. Je ne suis pas allée le chercher. Quand il est revenu, je lui ai expliqué en quoi ces photos portaient atteinte à son image, à quels dangers elles l'exposaient, et j'ai posé mes règles pour son utilisation d'Internet à l'avenir, en attendant qu'il fasse preuve de plus de maturité. J'espère que les parents de la jeune fille qui a mis ces photos sur Internet ont eu la même démarche et l'ont avertie des sanctions qu'elle encourait. »*

Il existe en effet de plus en plus de règlements, dans les collèges et les lycées, prévoyant des sanctions, voire l'exclusion des élèves qui porteraient atteinte à leurs camarades en les diffamant ou en diffusant sur eux des contenus relatifs à leur vie privée par le biais d'Internet. Rappelons que les adolescents ne sont pas toujours des victimes… Il sera utile de prévenir votre jeune blogueur, qui n'en a pas toujours conscience d'ailleurs, que certaines blagues peuvent lui coûter cher !

9 TOUS LES GARÇONS ET LES FILLES DE LEUR ÂGE…

« *Maman, est-ce que je pourrais avoir la pilule ?* »

« C'était il y a quatre ans : j'étais au square et je sympathise avec une femme qui avait des jumelles dans le même collège que mon fils. Elle me dit qu'elle est toute retournée car ses filles viennent de vivre leur premier chagrin d'amour avec un garçon épouvantable ! Ce "goujat" avait eu un flirt avec la première, puis il l'avait "larguée" pour sortir avec la seconde, avant de filer avec une troisième ! Je demande comment s'appelle ce mufle en herbe… Elle me donne son nom : c'était Axel. C'était mon fils ! »

Ce souvenir fait aujourd'hui bien rire Anna. Mais, sur le coup, la révélation la plongea dans l'effroi : alors qu'elle pensait qu'Axel ne jurait que par le foot et ses copains, celui-ci menait, à 12 ans à peine, une double vie de dragueur accompli. *« J'ai appelé mon mari pour qu'il rentre d'urgence du bureau. Il est arrivé, mort d'inquiétude, et nous avons fait une réunion de crise. »*

Les histoires de cœur des adolescents ont l'art de mettre leurs parents en émoi… Faut-il s'en mêler ? Que dire ? Pour entrer dans le cœur du sujet, il y a déjà une astuce à appliquer : on n'en parle pas de la même façon aux filles qu'aux garçons !

CÔTÉ GARÇONS

Quand le père d'Axel, Stéphane, apprit quelle était l'*« urgence »* pour laquelle il avait galopé pour rentrer chez lui, il dit à Anna : *« Laisse-moi m'en occuper. »* Le lendemain, profitant d'une partie de tennis avec son fils, il aborda le sujet, d'homme à homme : *« Je suis content d'apprendre que tu plais aux filles, Axel… mais pas trop vite, mon garçon ! »* Et il lui conseilla de procéder par étapes et d'attendre, pour passer aux choses sérieuses, d'avoir au moins 16 ans et de se sentir prêt. *« Faire l'amour, ce n'est pas un sport. Si tu vas trop vite, tu risques de vivre une mauvaise expérience qui pourra te complexer.* » Stéphane rappela à Axel, par la même occasion, quelques règles de prévention.

Ce discours fut bien accepté par Axel. Cela n'aurait sans doute pas été le cas s'il était venu de sa mère… Les femmes ne sont pas les mieux placées pour parler de sexualité avec leurs fils. Un rejet qui s'explique par une pudeur saine et naturelle. Axel a 16 ans aujourd'hui. En voyant le défilé des copines à la maison, son père est allé lui administrer une petite piqûre de rappel : *« N'oublie pas de te protéger. »*

Mais point n'est besoin d'en faire trop non plus : *« À force de leur dire de se protéger, on risque de leur donner une image négative de la sexualité,* reprend Anna. *Je dis bien à Axel que les histoires d'amour à répétition, ça fait des bleus à l'âme, à lui comme aux filles, mais je lui dis aussi : "Je te souhaite de vivre une belle histoire d'amour."* » Malgré l'influence inévitable de la pornographie, les garçons cachent souvent un cœur tendre. Il revient donc aux parents de ne pas *« casser »* ce romantisme sous le poids d'un discours alarmiste sur la sexualité, mais au contraire de valoriser l'amour.

CÔTÉ FILLES

« *Maman, est-ce que je pourrais avoir la pilule ?* » Laurence se souvient du jour où sa fille Charlotte, 16 ans à peine, lui posa la question fatidique : lors d'un départ en vacances d'été, dans le wagon-restaurant d'un train bondé, au milieu de la foule. « *Elle a parlé très fort, et je pense qu'il entrait une bonne part de provocation dans sa question.* » Peu de temps auparavant, Laurence avait appris que Charlotte avait accompagné une de ses copines au planning familial pour un avortement… « *Je lui ai répondu que, si tel était son souhait, nous irions chez un gynécologue à la rentrée, mais qu'il valait mieux pour elle ne pas sauter le pas juste par bravade. Qu'elle pense à ce qui était arrivé à son amie.* »

Avec les filles, ce sont les mères qui se retrouvent en première ligne. Les filles se confient plus que les garçons, c'est un avantage… à condition qu'elles sentent chez leur mère une vision positive de leur féminité naissante. Entre mère et fille, il est relativement facile de créer des occasions de parole détendue sur le sujet : lors des premières règles, des visites accompagnées chez le gynécologue, des séances de shopping, maquillage ou épilation… L'adolescente parlera aussi de ce qui arrive à ses copines, vous tendant une perche en or pour parler de la prévention de manière indirecte (ce qui est toujours plus efficace). *« À 16 ans, Paula m'a parlé d'une de ses copines qui changeait d'amoureux toutes les deux minutes,* raconte Clarisse. *Je lui ai simplement demandé si elle croyait qu'elle prenait ses précautions et si elle pensait que le mode de vie de son amie la rendait heureuse. Le fait de ne pas parler de Paula en particulier a rendu la discussion très libre. »*

Une fille responsabilisée dans sa féminité ressentira moins le besoin de se prouver – aux autres, mais surtout à elle-même – qu'elle n'est plus une enfant en faisant l'amour par conformisme ou provocation. Cela ne l'empêchera peut-être pas de jouer avec le feu, mais elle sera sensible à l'avis maternel. En rentrant chez elle en fin d'après-midi, Delphine trouva sa fille Raphaëlle, 16 ans, en compagnie d'un charmant jeune homme visiblement plus âgé. Sa fille s'extasia : *« Il est très beau, il a 20 ans ! »* Delphine se garda bien de dire : *« Il ne pense qu'à une seule chose ! »* Cela aurait été vexant. Elle demanda donc, d'un air léger et complice :

« Tu ne trouves pas ça bizarre qu'il s'intéresse aux jeunes filles de 16 ans ? Qu'est-ce que tu en penses ?

– C'est rien, quatre ans de différence ! »

Delphine n'insista pas. Trois jours plus tard, Raphaëlle revint la trouver pour lui dire : « *Je crois que t'as raison, maman. Il est beau, mais… on n'a pas la même vie.* »

La complicité entre mère et fille permet de sentir tout de suite si une relation est épanouissante pour l'adolescente ou non. Dans les forums, sur Internet, beaucoup de jeunes filles témoignent, quand elles ont fait une « *bêtise* ». Elles n'osent pas en parler à leur mère de peur des représailles… mais elles en auraient tellement besoin ! Certaines se retrouvent dans des situations de détresse et de solitude extrêmes. Sans vous ingérer dans la vie de votre fille, il est crucial de montrer que vous êtes là pour la soutenir par des phrases telles que : « *Tu peux tout me dire, je ne me fâcherai pas.* » En revanche, si l'adolescente s'épanouit dans une relation, il est temps alors de se retirer : « *À 16 ans, Chloé a un petit copain qui la rend heureuse*, raconte Julie. *Elle m'en a parlé. Je lui ai dit que c'était beau, l'amour. Nous sommes allées chez le gynécologue pour qu'elle puisse prendre la pilule, de façon préventive. Je lui ai dit : "Tu l'utiliseras quand tu sentiras que le moment sera venu : dans trois mois, dans six mois, dans un an. Écoute-toi. Je te fais confiance."* »

10 SILENCE RADIO

« T'façon, t'y comprends rien ! »

Ce soir, Aude a le blues. Elle a dîné toute seule, debout dans la cuisine, avant les autres, puis s'est enfermée dans sa chambre. Toc toc !

« Aude, je peux venir te dire bonsoir ? demande Colette, avant d'entrer.

– *Mouais, vas-y. »*

Cette fois, Colette ne jette même pas un regard au désordre déployé dans la chambre. Elle vient s'asseoir directement sur le lit, où sa fille est allongée, recouverte de coussins.

« Qu'est-ce qui s'est passé ? Il y a quelque chose qui ne va pas ?

– *Laisse tomber. T'façon, t'y comprends rien ! »*

« Je ne renonce jamais quand je la sens mal. Je pousse jusqu'à ce que j'aie crevé l'abcès. Si besoin est, je dors sur son lit ! »

explique Colette. Ce soir-là, Aude finira par fondre en larmes et raconter ses malheurs. *« C'est comme un travail, un accouchement. Elle n'a que 13 ans, je ne peux pas la laisser seule. »*

DÉLIER LEUR PAROLE

Il y a différents types d'adolescence, certaines sont faites de bruit et de fureur, d'autres de silence et d'enfermement. Les deux attitudes peuvent cohabiter sous le même toit, et dans la même tête, désorientant les parents qui se sentent démunis et déstabilisés. Pour *« crever l'abcès »*, selon ses propres mots, Colette pratique le *« rentre-dedans »* depuis le plus jeune âge de ses enfants. C'est son tempérament, son style éducatif. D'autres parents peuvent ne pas se sentir à l'aise avec cette façon d'agir ou ne l'avoir jamais pratiquée – s'y mettre d'un seul coup serait artificiel et vain. De même qu'il y a différents types d'adolescents, il y a différents types de parents. Cependant, sans renoncer à sa sensibilité propre, il est utile de ne pas laisser son adolescent s'enfoncer dans le repli. Si besoin est, il faut accoucher leur parole au forceps… même si ce forceps n'a pas du tout l'apparence de tenailles patibulaires !

CRÉER DES OCCASIONS

Les adolescents ont besoin de se confier, mais ils le feront plus volontiers dans des moments improvisés et inattendus. « *Dans la voiture, le soir, quand je vais chercher l'un ou l'autre d'un cours tardif, je sais qu'il peut se passer des choses*, reprend Colette. *Je fais bien attention à ne pas les regarder dans le rétroviseur : quand ils ne se sentent pas scrutés, ils sont plus libres.* » Laurence connaît elle aussi le pouvoir magique de l'automobile : « *Quand je sens qu'il y a quelque chose qui se dénoue, je n'hésite pas à prolonger le trajet. Un jour, j'ai fait trois fois le tour du supermarché : Charlotte n'a rien remarqué du tout !* » La conduite accompagnée peut elle aussi être une occasion rêvée pour se retrouver, en huis clos, avec l'adolescent : « *Fred m'a fait pas mal de confidences en apprenant à conduire*, raconte Diane. *Je lui répondais en parlant changements de vitesse et panneaux de signalisation ! Il me disait souvent : "Maman, je suis heureux de te conduire." Je savais bien que ça voulait dire : "Maman, je suis heureux de te parler."* »

En effet, parler ne veut pas forcément dire dialoguer. L'adolescent ne cherche pas toujours de réponses : il a juste envie d'ouvrir les vannes, d'ôter la pression.

C'est pourquoi ces confidences peuvent aussi très bien prendre une forme écrite. *« Arnaud s'exprime plus facilement par texto que face à face*, a noté Clarisse. *Parfois, après une dispute, il me demande pardon par texto. Je lui réponds de la même façon en lui disant merci. Quand on se retrouve ensuite, on n'en parle plus, on passe à autre chose. »* Laurence, quant à elle, eut la surprise de voir le pense-bête Velleda® qu'elle venait d'acheter pour noter ses courses détourné par Gabrielle, sa fille de 18 ans, à un tout autre usage : *« Je l'avais laissé le premier soir sur la table de la cuisine, sans y avoir rien noté. Le lendemain matin, j'ai découvert que Gabrielle, qui est en classe prépa et n'a pas beaucoup le temps de nous parler, y avait inscrit des mots terribles : "Ambiance noire au lycée. Pleurs, travail, remords, mort. Benjamin s'est pendu hier." »* Grâce à ce cri écrit, qui aurait été sans doute plus difficile à faire sortir autrement, Laurence et son mari ont pu soutenir Gabrielle dans ces moments difficiles. Depuis, le pense-bête est resté sur la table de la cuisine, mais il ne sert jamais à noter des listes de courses. Charlotte et Gabrielle l'ont adopté pour y taguer leurs joies, leurs blagues, leurs ras-le-bol, à leur gré… sachant très bien que leurs parents passeraient derrière pour les lire, et reviendraient les voir pour en parler…

ET LA TENDRESSE, ALORS ?

Une autre façon de briser le repli de l'adolescent, c'est aussi d'oser casser la barrière physique qu'il établit entre vous et lui. « *Le soir, de temps en temps, je viens voir Faustine dans sa chambre et je lui masse le dos,* raconte Estelle. *Je fais ça depuis qu'elle est petite. Ça débloque beaucoup de choses.* » Clarisse organise des « descentes papouilles » dans la chambre d'Arnaud, lors d'occasions spéciales : « *Pour sa fête, nous sommes tous entrés dans sa chambre pour lui faire des petits câlins. Il était bloqué devant son ordinateur. Il a joué son dur en disant : "Attention, je vais faire ma crise !", mais il avait le sourire aux lèvres et se défendait assez mollement.* » La tendresse, l'humour permettent même de faire passer des messages : « *Parfois,* explique Dorothée, *on va tous dans la chambre de Stella, on marche parmi son désordre et on s'extasie : " Oh ! comme elle est belle, la chambre de Stella ! Tiens, un pot de yaourt ! Comme c'est bizarre…" Ça la fait rire.* »

METTRE LA CRISE EN PERSPECTIVE

Tous ces petits moments de confidences, de tendresse ou d'humour aident l'adolescent et ses parents à remettre cette fameuse « crise d'adolescence » en perspective. « *Parfois, quand Cyrille dépasse les bornes, je réponds juste : "Bon, c'est hormonal !"* déclare Colette. *Il me rétorque : "T'es nulle, maman !..." avec un petit sourire en coin. J'interprète cela comme une déclaration d'amour.* »

« *Moi, je me dis, dans dix ans, ce sera un mec super*, confie Clarisse à propos d'Arnaud. *Je me rassure en passant mentalement en revue tous les membres de la famille qui lui ressemblent et qui ont fait les quatre cents coups entre 14 et 18 ans. Aujourd'hui, ils sont devenus des gens intéressants, ouverts, drôles. Ils ont un travail qui les passionne. Ils ont réussi leur vie.* » Quant à Caroline, qui raconte souvent ses propres souvenirs de jeunesse à ses enfants, elle garde en mémoire cette réflexion lancée par ces adolescents de l'an 2000, pas si révoltés que ça, et parfois même un peu trop sous pression, avouons-le : « *Mais, maman, en fait, vous étiez des hippies, papa et toi !* »

Vous souhaitez partager vos astuces ?
Cliquez sur la boîte à idées du MMMFrance :
www.mmmfrance.org

Ouvrage composé par Facompo, Lisieux
et achevé d'imprimer en France
en mars 2008 par France Quercy.
N° d'édition : 08070
Dépôt légal : avril 2008
N° d'impression : 80303b